Edición original: **OQO editora**

© del texto	Ângela Madeira 2013
© de las ilustraciones	Till Charlier 2013
© de la traducción del portugués	Paco Liván 2013
© de esta edición	OQO editora 2013
Alemaña 72	36162 Pontevedra
Galicia	ESPAÑA
T +34 986 109 270	F +34 986 109 356
OQO@OQO.es	www.OQO.es
Diseño	Oqomania
Impresión	Tilgráfica II
Primera edición	octubre 2013
ISBN	978-84-9871-474-6
DL	PO 480-2013

Para Simão, a quien, de pequeñito, no le gustaba la sopa verde. ***A. M.***

A Marlène, Jacques y Patate. ***T. Ch.***

texto de **Ângela Madeira**

ilustraciones de **Till Charlier**

sopa verde

OQO editora

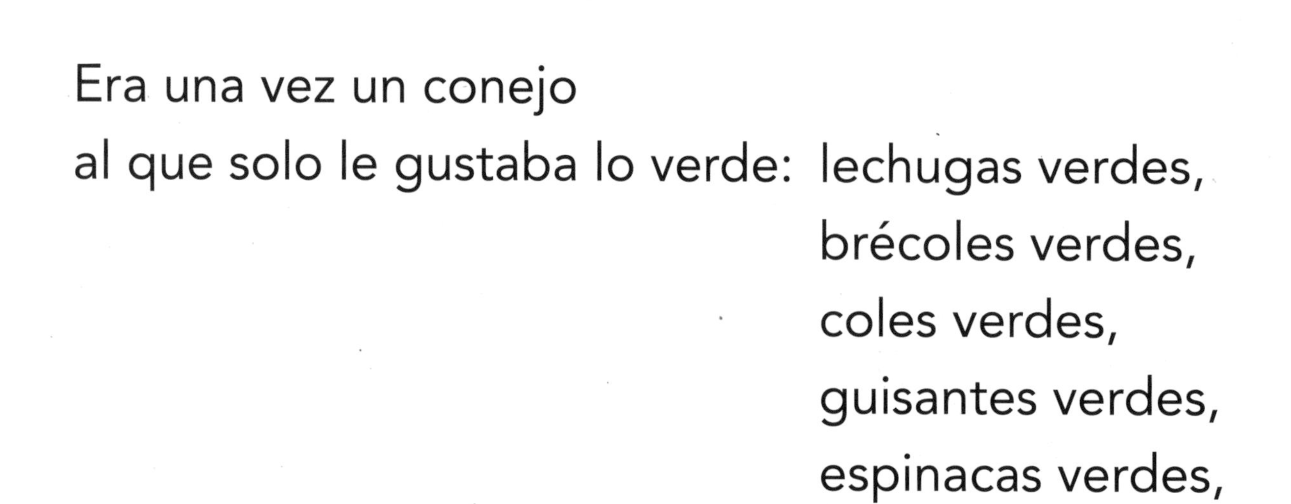

Era una vez un conejo
al que solo le gustaba lo verde: lechugas verdes,
brécoles verdes,
coles verdes,
guisantes verdes,
espinacas verdes,
alcachofas verdes,
pimientos verdes…

—Solo me gusta lo verde –repetía a todas horas.

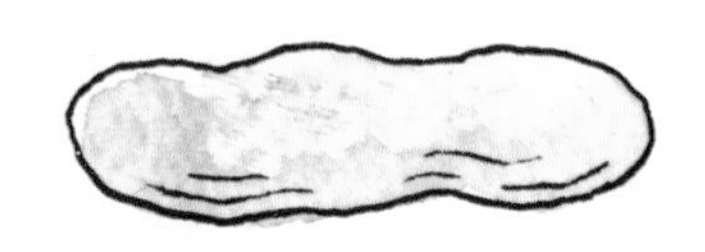

Un día, la hormiga,
cansada de oír *verde por aquí, verde por allá*,
dejó el túnel que excavaba en el hormiguero
y trajo una miguita de tarta de chocolate.

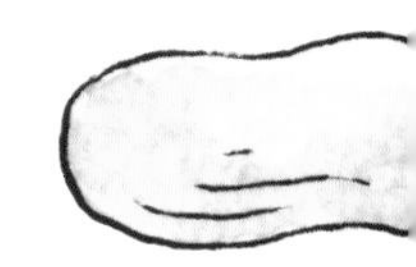

—No me gusta la tarta de chocolate –dijo el conejo–.
Es marrón, y a mí no me gusta el marrón.
Solo me gusta lo verde.

Y masticó unas hojas de lechuga.

La hormiga fue a buscar al ratoncito,
que revolvía en la basura.
Y el ratón trajo dos trocitos de tomate.

—No me gusta el tomate –dijo el conejo–.
Es rojo, y a mí no me gusta el rojo.
Solo me gusta lo verde.

Y masticó un poco de brécol.

La hormiga y el ratón
fueron a buscar al pato, que nadaba en el lago.
Y el pato trajo tres rebanadas de pan.

—No me gusta el pan –dijo el conejo–.
Es blanco, y a mí no me gusta el blanco.
Solo me gusta lo verde.

Y masticó unas hojas de col.

La hormiga, el ratón y el pato
fueron a buscar al gato, que dormía en el tejado.
Y el gato trajo cuatro sardinas.

—No me gustan las sardinas –dijo el conejo–.
Son grises, y a mí no me gusta el gris.
Solo me gusta lo verde.

Y masticó unos guisantes.

La hormiga, el ratón, el pato y el gato
fueron a buscar al cerdo,
que se revolcaba en el barro.
Y el cerdo trajo cinco berenjenas.

—No me gustan las berenjenas –dijo el conejo–.
Son moradas, y a mí no me gusta el morado.
Solo me gusta lo verde.

Y masticó unas hojas de espinaca.

La hormiga, el ratón, el pato,
el gato y el cerdo fueron a buscar al burro,
que orneaba en el establo.
Y el burro trajo seis zanahorias.

—**No me gustan las zanahorias** –dijo el conejo–. **Son de color naranja, y a mí no me gusta el naranja. Solo me gusta lo verde.**

Y masticó unas alcachofas.

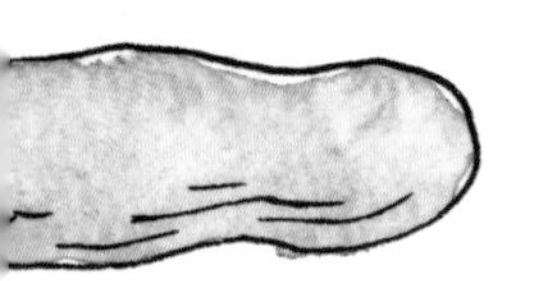

La hormiga, el ratón, el pato, el gato, el cerdo y el burro fueron a buscar a la vaca, que rumiaba en el prado. Y la vaca trajo siete espigas de maíz.

—No me gusta el maíz –dijo el conejo–.
Es amarillo, y a mí no me gusta el amarillo.
Solo me gusta lo verde.

Y masticó un trocito de pimiento.

—No quiero probar otro color.
¡No hay nada como el verde!

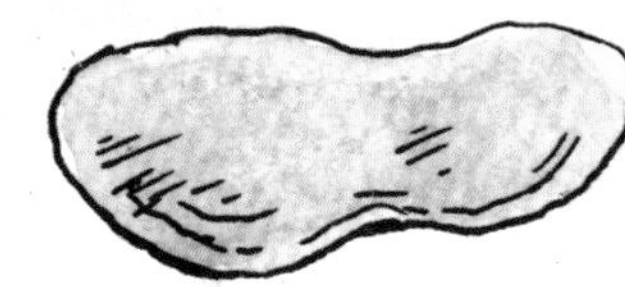

La hormiga, el ratón, el pato,
el gato, el cerdo, el burro y la vaca
iban a buscar al gallo, que cacareaba para dar las horas.

Entonces, el búho, desde lo alto del nogal, dijo:

—¡Tenemos que acabar con ese lío de colores!
¡Vamos a hacer una sopa!

Echó en una olla
la miguita de tarta de chocolate,
los dos trozos de tomate,
las tres rebanadas de pan,
las cuatro sardinas,
las cinco berenjenas,
las seis zanahorias
y las siete espigas de maíz
que el conejo no había querido probar.

Cubrió todo con lechuga, brécol,
coles, espinacas, guisantes,
alcachofas y pimientos verdes.

Añadió agua.
Revolvió y revolvió.
Coció y recoció…

Después
probó una cucharadita
y dijo:

—¡Qué rico!

El conejo miró desconfiado
y ya iba a decir *No me gusta*;
pero, al ver todas aquellas cosas verdes
flotando en la sopa,
le apeteció probarla...

Comió un poco,
otro poco,
un poco más...

¡Lamió la olla, las patas y los bigotes!

Y exclamó:

—¡La mejor comida que he probado en mi vida!

Muy contento, y con la barriga llena,
se fue a dormir la siesta.

—¡Ay, qué tontorrón es este conejo!
¡Decía que solo le gustaba lo verde…!
–bromearon los otros animales.

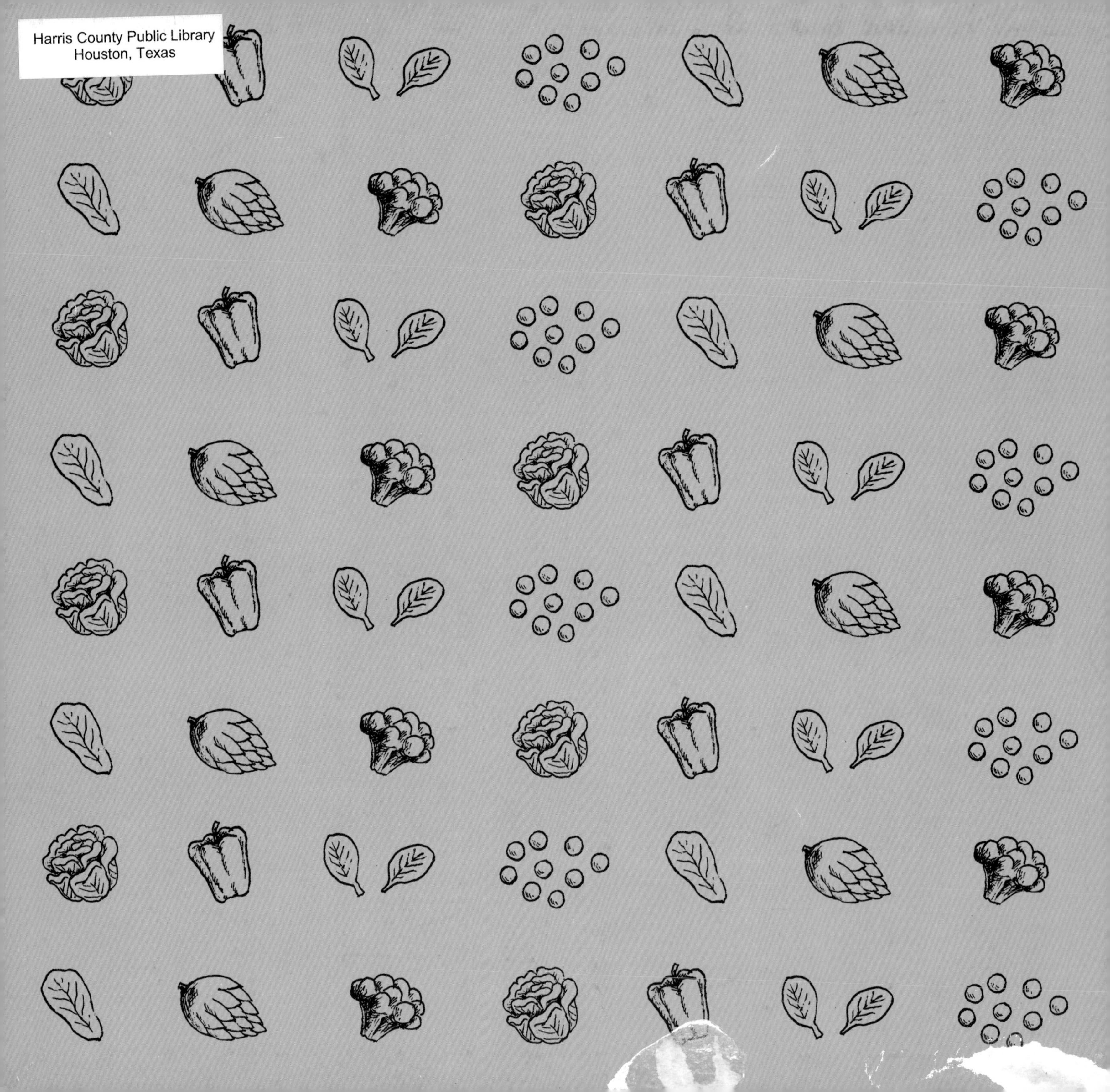